بَعْدَ ذلِكَ، ذَهَبْنا لِلنَّوْم
وَحَلِمْنا بِالنّاسِ الْعَمالِقَةِ.

وَهذا ما فَعَلَتْهُ.

كانَتْ لَطيفَةً جِدًّا.
وَأَعْطَتْنا الْمِظَلَّةَ،
وَقالَتْ إِنَّها سَتُعيدُنا
إِلى حَديقَتِنا.

وَفَتَحَتْ فَمَها، وَسَأَلَتْ: «مَنْ أَنْتِ؟»
فَحَدَّثْتُها عَنّا.
وَأَخْبَرْتُها أَنَّنا جِئْنا
لِنَسْتَرْجِعَ مِظَلَّةَ جَدِّنا.

اِلْتَقَطَتْني الْفَتاةُ الْعِمْلاقَةُ.
آهْ، كُنْتُ خائِفَةً جِدًّا!

وَفي تِلْكَ اللَّحْظةِ،

تَسَلَّقْنا الصَّفّارَةَ،
وَأَمْسَكْتُ بِالْمِظَلَّةِ.

وَأَحْضَرَ لِي أَخِي
صَفَّارَةً عِمْلاقَةً.

لكِنَّ ذلِكَ لَمْ يَكُنْ كافِيًا!

اِسْتَخْدَمْنا كُلَّ الْمُكَعَّباتِ.

نَسْتَطيعُ أَنْ نَبْنِيَ دَرَجاتٍ
إِلى قِمَّةِ الطّاوِلَةِ.

تَزَحْلَقَ أَخي عَلَى السِّتارَةِ،
وَساعَدَني عَلَى الْخُروجِ.
كَيْفَ نَسْتَطيعُ أَنْ نَصْعَدَ إِلى تِلْكَ الطّاوِلَةِ؟
وَخَطَرَتْ لي فِكْرَةٌ.

لٰكِنَّنِي كُنتُ مُخْطِئَةً.

السُّلَحْفاةُ
و
الأَرْنَبُ

اعْتَقَدْتُ أَنَّني أَسْتَطيعُ
أَنْ أَقْفِزَ إِلى الطّاوِلةِ.

كانَتِ الْفَتاةُ نائِمَةً.

وَكانَتْ مِظَلَّةُ جَدّي عَلى الطّاوِلَةِ.

فَقَدْ وَجَدْنا نافِذَةً مَفْتوحَةً،

وَصَعِدْنا إِلَيْها.

لَمْ نَدْخُلْ مِنَ الْبابِ الْأَمامِيِّ.

فَغادَرْنا الْحَديقَةَ،

وَصَعِدْنا التَّلَّةَ إِلى الْبَيْتِ
الَّذي تَسْكُنُهُ الْفَتاةُ الْعِمْلاقَةُ.

كانَ عَلَيْنا أَنْ نَسْتَرْجِعَ مِظَلَّةَ جَدِّنا.

لِذا، وَفي تِلْكَ اللَّيْلَةِ، عِنْدَما

نامَ جَدُّنا، نَهَضْنا أَنا وَأَخي.

قالَتِ الْفَتاةُ: «يا لَها مِنْ مِظَلَّةٍ صَغيرَةٍ رائِعَةٍ!»

ثُمَّ حَمَلَتْها، وَرَكَضَتْ إِلى بَيْتِها.

رَأَيْتُ فَتاةً عِمْلاقَةً تَجْلِسُ قُرْبَ حَديقَتِنا.
وَكانَتْ تَتَحَدَّثُ إِلى كَلْبٍ عِمْلاقٍ. وَلَمَحْتُ
شَيْئًا عالِقًا بِكَفِّهِ.

كانَتْ تِلْكَ مِظَلَّةَ جَدِّي!
وَيَبْدو أَنَّ الْكَلْبَ داسَ عَلَيْها.

نَحْنُ الِاثْنانِ نُحِبُّ
أَنْ نَتَسَلَّقَ.
ذاتَ يَوْمٍ، تَسَلَّقْنا
قِمَّةَ أَطْوَلِ زَهْرَةٍ في
الْحَديقَةِ.

نَظَرْتُ حَوْلي.
فَرَأَيْتُ شَيْئًا مُفْزِعًا!

بَعْدَ انْتِهاءِ الْعَمَلِ،
أُحِبُّ أَنْ أَلْعَبَ بِلَعِبِ الْقَفْزِ.

وَأَخِي يُحِبُّ أَنْ يَتَزَحْلَقَ.

بَعْدَ ذلِكَ، نَتَعاوَنُ جَميعًا
على تَحْضيرِ الطَّعامِ.

نُساعِدُ جَدَّنا على جَمْعِ الْخُضَرِ.

بَعْدَ ذلِكَ، نَغْسِلُ أَنا
وَأَخي الْمَلابِسَ.

رَقائِقُ الذُّرَة

كُلَّ صَباحٍ، نَتَناوَلُ إِفْطارًا
مِنَ التّوتِ وَرَقائِقِ الذُّرَةِ.

مَرْحَبًا. أَنا فَتاةٌ صَغيرَةٌ جِدًّا.
أَعيشُ في الْحَديقَةِ مَعَ عائِلَتي الصَّغيرَةِ جِدًّا.
بيْتُنا تَحْتَ أَوْراقِ الأَزْهارِ.

عائِلةٌ
صَغيرةٌ جِدًّا

تَأليفُ وَرُسومُ: نورْمان بُرِدْوِل

Copyright © 1992 by Norman Bridwell; copyright © renewed 1996 Norman Bridwell
First printing, March 1999.
All rights reserved. Published by Scholastic Inc.
SCHOLASTIC and associated logos are trademarks and/or registered trademarks of Scholastic Inc.

ISBN 978-0-439-86372-8

First Arabic Edition, 2006. Printed in China.

1 2 3 4 5 6 7 8 9 10 62 11 10 09 08 07

عائِلَةٌ
صَغيرَةٌ جِدًّا